Tahar Ben Jelloun,
Andrée Chedid,
Marie Desplechin,
Annie Ernaux

Récits d'enfance

Présentation, notes, questions et après-texte établis par
CÉCILE PELLISSIER
professeur de Lettres

MAGNARD

Sommaire

PRÉSENTATION

Les quatre récits d'enfance de ce recueil sont tirés de *Jardins d'enfance* (éditions du Cherche Midi, 2001), dans lequel dix-sept écrivains ont livré une vision de l'enfance sous forme de nouvelle, conte, souvenir ou témoignage. Ils ont ainsi apporté leur soutien à l'association « La voix de l'enfant », dont l'objectif est de se mettre à « l'écoute et la défense de tout enfant en détresse quel qu'il soit, où qu'il soit ». Carole Bouquet, qui en a alors rédigé la préface, est toujours son porte-parole.

Tahar Ben Jelloun est né en 1944 à Fès, au Maroc. Après avoir étudié la philosophie et enseigné au Maroc, il s'installe à Paris où il obtient un doctorat de psychiatrie sociale. Parallèlement, il poursuit sa carrière d'écrivain et publie régulièrement des articles dans le journal *Le Monde*. En 1985, son roman *L'Enfant de sable* lui assure la notoriété, et, en 1987, il obtient le prix Goncourt pour *La Nuit sacrée*. En 1998, il écrit *Le racisme expliqué à ma fille* puis *L'islam expliqué aux enfants* en 2002, ouvrages qui ont obtenu un immense succès et ont été traduits dans de nombreuses langues. Il se dit avant tout conteur qui raconte des histoires, mais affirme aussi : « En tant que citoyen, je ne me tais pas, j'aime intervenir dans la presse, souvent pour dénoncer les choses inadmissibles […]. »[1]

Andrée Chedid est née au Caire, en Égypte, en 1920, et morte à Paris, en 2011. D'origine libanaise, elle a fait ses études dans des écoles françaises puis à l'Université américaine du Caire où elle a obtenu son diplôme de journaliste. Après avoir vécu quelques

1. Page d'accueil du site de Tahar Ben Jelloun : http://www.taharbenjelloun.org/

années au Liban et fait paraître des ouvrages de poésie en anglais, elle s'installe à Paris où elle publie en français. Son œuvre, variée – romans, nouvelles, poésies, théâtre, ouvrages d'art ou essais –, privilégie le questionnement sur la condition et les relations humaines. Elle a obtenu le prix Goncourt de la nouvelle en 1979 pour *Le Corps et le Temps* et le prix Goncourt de la poésie en 2002.

Marie Desplechin est née en 1959 à Roubaix, dans le Nord – Pas-de-Calais. D'abord journaliste, elle commence par écrire des textes pour les enfants, *Une vague d'amour sur un lac d'amitié* (1995), *Verte* (1996), ou *Jamais contente, le journal d'Aurore* (2006), qui font sa notoriété, puis un recueil de nouvelles pour les adultes, *Trop sensibles* (1995). Elle écrit des scénarios (*Le Voyage en Arménie*, de Robert Guédiguian [2006], ou *Sans moi*, d'Olivier Planchot [2007], adapté de son roman paru en 1998) et des articles pour le magazine *L'Express*.

Annie Ernaux est née en 1940 à Lillebonne, en Haute-Normandie. Issue d'un milieu modeste, elle a fait ses études de littérature à Rouen et obtient l'agrégation de lettres. Son premier ouvrage, *Les Armoires vides*, est paru en 1974. Dix ans plus tard, elle obtient le prix Renaudot pour *La Place*. Son œuvre est essentiellement autobiographique, mais elle affirme vouloir aussi s'inspirer de son histoire personnelle et familiale pour « retrouver la mémoire de la mémoire collective dans la mémoire individuelle »[1], et donc parler de son expérience le plus objectivement possible afin de mettre en mots une réalité générale.

1. In *Les Années*, Paris, Gallimard, 2008, p. 239.

Tahar Ben Jelloun

Les chèvres ne volent pas

Ce matin, notre professeur de français, monsieur Abid, est en retard. D'habitude, il arrive au collège en avance, écrit sur le tableau la date et la matière à étudier puis se met à la porte de la classe pour nous recevoir. Un quart d'heure de retard. Essoufflé, l'air contrarié, il nous dit d'emblée :

– Aujourd'hui, vous n'allez pas écrire ou lire, nous allons discuter, parler entre nous. Je viens d'assister à une bagarre à l'embouchure du fleuve et je suis bouleversé. Mais avant de vous raconter ce que j'ai vu, essayez de répondre à une question qui ressemble à une devinette.

Surpris et étonnés, nous nous sommes regardés, ne sachant comment interpréter ce changement de style. Monsieur Abid est un homme issu d'un village très pauvre. Il nous le rappelle souvent. Il aime son métier et le pratique avec passion. Petit de taille, maigre et myope, il inspire du respect.

D'une seule voix :

– Nous sommes prêts, monsieur Abid.

– Réfléchissez bien avant de répondre. Quelle est, d'après vous, la pire chose au monde ? Je veux dire la chose qui provoque le malheur, qui détruit les gens et qui est très répandue dans le monde, quelque chose qui rend les hommes hargneux et dangereux.

– La mort !

– Non, la mort est une fin normale à toute vie. On ne la vit pas ; quand elle est là, on n'est pas là, quand on est là, elle n'est pas là. La mort n'est ni quelque chose de mal ni quelque chose de bien. Elle est ce qu'elle est, c'est tout.

– La maladie !

– La maladie peut être terrible et provoquer des souffrances insupportables ; mais on peut aussi la guérir, la médecine et la science ne cessent de progresser.

– La faim !

– Oui, mais ce n'est pas une fatalité.

– C'est quoi une fatalité, monsieur ?

– Tout ce qui arrive serait écrit d'avance ; on dit c'est écrit dans le ciel, autrement dit, on ne peut rien contre ce qui nous arrive. Or, on peut faire beaucoup de choses contre la faim. C'est laid et intolérable mais ce n'est pas sans issue.

– La tempête de sable !

– On peut s'en protéger, et puis ça ne dure pas tout le temps.

– Les scorpions, les vipères, les chacals...

– Ce sont des animaux dangereux mais on peut les éviter et ne jamais les rencontrer.

– La pire chose au monde, c'est la guerre !

– Oui, mais il y a quelque chose qui la provoque, la fait naître et la répand...

– La haine !

– Ce n'est pas suffisant : on peut haïr sans déclencher une guerre. Et tous les soldats ne sont pas animés par la haine d'autres soldats considérés comme des ennemis. La haine est un sentiment mauvais, il fait mal mais souvent, c'est l'autre versant de l'amour.

– La peur !
– C'est humain d'avoir peur ; ce n'est pas très agréable, mais
55 ce n'est pas la pire chose au monde.
– La folie !
– C'est comme la maladie, ça se soigne même si ça prend du temps, mais ce n'est pas la chose la plus dangereuse au monde.
– Ah, monsieur Abid, « pire » n'est-il pas synonyme de
60 « dangereux » ?
– Cela dépend, vous verrez quand on aura trouvé...
– Alors, l'injustice !
– C'est une partie de cette chose horrible...
– L'esclavage !
65 – Il n'existe plus ; il a été aboli partout dans le monde, même s'il subsiste sous d'autres formes. Et c'était une des pires choses au monde.
– La trahison !
– C'est une des conséquences de cette chose.
70 – Le mensonge !
– C'est un début, vous y êtes presque.
– L'hypocrisie !
– C'est une façon d'habiller cette chose.
– La méchanceté !
75 – C'est comme la trahison et l'hypocrisie, c'est une conséquence de cette chose.
– Le vol !
– C'est un vice, c'est comme la maladie, ça se soigne... ou se punit.

80 – Le racisme !

– Vous brûlez ! Le racisme se base sur cette chose pour se manifester.

– La bêtise ?

– Non, on peut ne pas être intelligent et n'être ni raciste ni
85 mauvais.

D'une seule voix :

– Alors, monsieur Abid, c'est quoi, la pire chose au monde ?

Après un silence, monsieur Abid enlève ses lunettes, il les retire chaque fois qu'il est grave, s'essuie le front avec un mou-
90 choir en papier, puis dit :

– Les anciens, nos ancêtres, nos maîtres,

ceux qui nous ont précédés dans l'épreuve, dans le bien et dans la peine,

ceux qui ont réfléchi sans avoir fait de grandes études,
95 ceux qui ont lu des livres et décrypté des messages, des nuages et des forêts,

ceux qui lisent dans l'écorce des arbres, dans les yeux des mères, et savent interpréter la musique du vent,

ceux qui n'avaient pas de grandes certitudes,
100 ceux qui disaient « peut-être », « c'est possible », « Dieu seul le sait », « attends de voir », « sois patient », « prends le temps de penser », « regarde l'eau couler dans la rivière », etc.

ceux qui n'affirmaient rien de définitif,

ceux que j'appelle les anciens, qui ont embrassé le temps et y
105 ont repéré les traces de la sagesse,

ceux qui ont vécu et souffert,

ceux qui ont été humbles et modestes, dignes et graves,

ceux qui n'ont jamais fermé le chemin qui mène vers l'école et le savoir,

110 ceux qui ont cité le prophète qui disait qu'il faut acquérir le savoir même s'il faut aller jusqu'en Chine,

ceux qui n'ont jamais déterré leurs racines pour les planter dans une terre aride,

ceux-là disent que la pire chose au monde, ce n'est ni la
115 mort, ni la maladie ni la peur... mais l'ignorance.

Tous en chœur :

– L'ignorance ! Et pourquoi, monsieur Abid, c'est l'ignorance ?

– L'ignorance est la mère de tous les maux.

120 Médusés, nous le regardons un instant puis nous lançons un cri :

– Ouaahhh !

– Souvent, l'ignorance est accompagnée d'arrogance[1] et de fanatisme[2]...

125 – C'est quoi, « arrogance », monsieur Abid ? et le fanatisme ?

1. Fierté hautaine, orgueil méprisant.
2. Intransigeance qui va jusqu'à l'intolérance.

l'ignorance →

– L'arrogance, c'est de l'insolence, de la prétention et parfois du mépris. L'arrogant est celui qui réclame avec force et insistance quelque chose qui ne lui est pas dû. C'est typique des ignorants. Ils ne doutent pas, affirment avec fermeté n'importe quoi, ce sont des fanatiques, c'est-à-dire des gens qui n'acceptent pas d'autres idées que les leurs...

Pour bien comprendre le mal que peut faire l'ignorance, écoutez l'histoire de ces deux amis qui se sont disputés sur le bord du fleuve. J'ai assisté à leur bagarre :

Ils discutaient normalement des choses de la vie, quand tout d'un coup l'un d'eux, appelons-le « A », s'exclame :

« Je viens de voir une chèvre voler, une chèvre avec des ailes, elle est blanche... »

« B » lui répond calmement :

« Mais les chèvres ne sont pas des oiseaux, elles ne volent pas.

– Si, si, tu crois qu'elles ne volent pas mais la mienne, celle que j'ai vue il y a un instant, a bel et bien volé ! Elle a reculé puis elle a sauté comme si elle était aspirée par l'air, elle est montée dans l'espace et puis elle a étendu ses ailes et elle plane en ce moment au-dessus de nos têtes, tu ne la vois pas ? Mais tu es aveugle, ou tu refuses de me croire parce que je suis plus petit que toi et que ma parole a moins de saveur que celle du fils du Caïd[1] ?

– Ce n'est pas possible, tu dois avoir une hallucination, ça arrive à tout le monde, certains voient même des fantômes, moi

1. Chef militaire et administratif arabe.

aussi j'ai un jour vu mon père après sa mort, il s'est présenté à la maison et personne ne lui a ouvert la porte, c'était un rêve ou une hallucination. Il faut accepter le fait que les chèvres, comme les vaches, ne volent pas. C'est un fait, un point c'est
155 tout. Et ça n'a rien à voir avec le fait d'être fils de Caïd.

– Non, je ne parle pas de choses anormales, je te dis qu'il y a cinq minutes, la chèvre blanche qui broutait tranquillement devant nous s'est envolée comme une grande cigogne.

– Arrête de dire des bêtises, enfin, tu n'es pas un gamin, tu
160 es un adulte...

– Oui, mais la chèvre s'est envolée, reconnais-le sinon tu n'es plus mon ami.

– Je ne vais pas reconnaître un fait qui n'a aucun fondement, uniquement pour ne pas te contrarier. Arrête de t'entêter.

165 – Non, je n'arrête pas, et j'en fais une affaire d'honneur : suis-je un menteur ?

– Non, tu n'es pas un menteur, tu fabules, tu inventes, tu as beau insister, tu ne me feras pas croire que cette malheureuse bête a déployé des ailes imaginaires et serait devenue un
170 oiseau. Non et non. Ce n'est pas logique ; je sais que tu n'es pas toujours raisonnable, mais là, tu exagères, c'est évident que les chèvres, les brebis, les moutons, les agneaux et tous ces troupeaux n'ont pas la capacité de s'envoler. Tu es énervant et fanatique. Reconnais ton erreur et passons à autre chose.

175 – Alors tu n'es plus mon ami, on n'a plus rien à faire ensemble. Tu refuses de croire ce que je dis, tu mets en doute ma raison, donc, tu n'es pas un ami.

– Tu es têtu ! Entêté comme une mule !

– Moi, je suis une mule ? ! Et toi, tu es un crapaud ! C'est
180 bien connu, tous les fils de Caïd sont des crapauds, je l'avais lu dans le livre d'Histoire !

– Je ne suis pas un crapaud, je suis un être humain doué de raison et qui te dit que les chèvres ne s'envolent pas, c'est tout.

– Non, tu me contraries parce que tu considères que je viens
185 d'un village moins riche que le tien ! C'est ça, ce que je dis n'a aucune importance, tu me méprises, tu te crois tout permis parce que ton père est le patron de la ville...

– Je me moque pas mal de ton village, et mon père n'a rien à voir avec cette histoire ; je te redis que la chèvre ne vole pas.
190 On peut demander l'avis des gens qui passent.

– Si, elle vole, si, elle vole, tu es un menteur, tu cherches à m'humilier parce que j'ai quitté l'école et que toi, tu as fait des études, voilà, tu refuses ce que je dis et ce que je vois, et bien sache que la chèvre s'est envolée, je le jure et le jurerai devant
195 Dieu et son prophète[1] le Jour du Jugement dernier[2] !

– Mais ce n'est pas logique, tu es fou !

– Quoi ? je suis fou ? ! Tiens, prends sur la gueule ! Salaud, fils de la rue, fils de rien, fils du néant, la religion de ta mère[3], va, prends, je vais casser ta petite gueule de riche... »

---

1. Pour les musulmans, Mahomet, fondateur de l'islam, est considéré comme le prophète majeur.
2. Jour où tout l'univers sera détruit et les morts ressuscités afin d'être jugés par Dieu sur leurs actes et leurs pensées.
3. « Que la religion de ta mère soit maudite » : insulte et mépris d'un musulman à l'égard d'un autre musulman en excluant *a priori* l'idée que la mère de l'autre puisse être musulmane.

– Les coups partirent de part et d'autre, les deux corps roulèrent dans la poussière, les insultes fusèrent en même temps que les coups de poing et de pied. Le corps de « A » glissa et tomba dans le courant. « B » tenta de le sauver. Mais le courant était trop fort. « A » s'agita beaucoup et se noya. Avant de rendre l'âme, je vis sa main droite sortir de l'eau et faire avec les doigts le V de la victoire. Les doigts bougeaient comme pour rappeler que l'animal volait dans l'air.

Voilà pourquoi je suis arrivé en retard au collège et ce qui m'a amené à vous poser cette devinette. Car l'ignorance est pernicieuse[1], elle endort l'esprit et réduit l'intelligence, l'être humain ne se pose plus de questions, il a des certitudes et se ferme sur lui-même au point de devenir un fanatique, quelqu'un qui ne tolère rien d'autre que ses propres certitudes, il se ferme à tout ce qui vient de l'extérieur, devient borné comme un âne qui fait toujours le même chemin. On peut en mourir. Certains se battent, et même meurent, pour des valeurs, pour des idées généreuses et fortes, d'autres meurent bêtement pour de petites idées bien étroites. C'est la faute à l'ignorance, l'ignorance, la pire chose au monde. »

Le soir, toutes les familles parlèrent de la dispute tragique des deux amis. Certains dirent que « A » était connu pour son entêtement et ses bagarres. D'autres affirmèrent qu'il fumait du

---

1. Dangereuse, malfaisante, nuisible.

kif[1] et qu'il était en manque. Pour saluer sa mémoire, des bouchers proposèrent la viande de chèvre dans le coin « volailles ».

1. Mélange de tabac et de haschich.

Andrée Chedid
La Vérité

Liza me saisit la main, m'attire hors de la pièce où la famille, réunie quelques jours avant Noël, discute des prochaines festivités.

– Viens, maman, il faut que je te parle. Viens !

Je la suis, perplexe. Elle claque la porte derrière nous, m'entraîne vers l'obscur boyau du couloir. Là, elle m'immobilise, dos au mur, lâche ma main.

– Attends-moi, ne bouge pas… j'allume !

Elle court jusqu'à l'interrupteur situé près de la seconde porte, close elle aussi.

– J'allume, répète-t-elle d'une voix décidée.

Au plafond, une lumière au néon – crue, inflexible – éclabousse les murs et m'inonde des pieds à la tête.

– Tu me diras la vérité ?

– De quoi parles-tu, Liza ?

– Promets de me dire toute la vérité.

Captive de cette froide lumière, plongée dans la droiture de son regard, tout m'incite à répondre :

– C'est promis.

– Toute la vérité, promis ?

– Promis.

Où donc m'entraîne-t-elle ? L'instant est grave. Le serment solennel. Je ne reculerai pas.

Liza s'agrippe à mes deux poignets. Elle ne me quitte plus du regard.

– Maman, est-ce qu'il existe, le Père Noël ?

Abrupte, inattendue, la question me démonte. Liza m'encercle la taille de ses bras. Rejetant le buste en arrière, elle me livre tout son visage ouvert, confiant.

30 – Ce n'est pas difficile, tu me réponds : oui ou non.

J'hésite. Elle martèle la question une deuxième, une troisième, une quatrième fois. J'hésite encore. Ai-je le droit de détruire ce rêve, de démanteler le plaisir de la famille qui a établi tout un rituel autour du fabuleux personnage, de démolir

35 les espoirs de Tim, son petit frère ?

– Réponds, maman : est-ce qu'il existe, le Père Noël ?

Tiraillée entre le désir de répliquer sans équivoque à son brûlant appel, et celui de sauvegarder une plaisante et chaleureuse légende, je me penche et l'attire dans mes bras.

40 – À l'école, mes amis m'ont juré que c'étaient les parents qui avaient inventé ça... Avant de les croire, j'ai dit que je te demanderais d'abord.

Elle fit une pause, avant d'insister :

– Oui ou non, maman : est-ce qu'il existe, ce Père Noël ?

45 Je me sentais inconfortable, stupidement engluée dans le mensonge, tributaire[1] d'une comédie sociale à laquelle Liza ne voulait plus participer. Son regard me bravait, me scrutait ; je n'avais pas le droit de me dérober. Je me penchai et la serrai contre moi, comme si nous étions sur le point de traverser,

50 ensemble, un périlleux obstacle avant d'affronter l'évidence.

---

1. Obligée de me conformer à.

Elle se dégagea, recula de quelques pas et, m'affrontant de nouveau :

– Alors, il existe ?

Ma réponse s'abattit comme un couperet :

– Non.

Au même moment, il me sembla entendre, au fond d'un silence opaque, la chute d'un oiseau.

Je repris mon souffle. Toujours de face, Liza s'éloigna encore. Une brume grisâtre enveloppait ses traits. Elle me fixait d'un air étrange, elle avait pris de l'âge en quelques secondes. Y avait-il de la gratitude ou un reproche dans ses yeux ?

– Je le savais !... Je le savais, dit-elle en me tournant le dos.

Parvenue au bout du couloir, elle se retourna et me lança :

– Je savais que c'était un mensonge !

Puis elle disparut derrière un claquement de porte.

L'après-midi, je retrouvai Liza en sanglots, à plat ventre, affalée sur son lit. Je voulus m'approcher. Elle me repoussa :

– Laisse-moi. Je pleure seule. Je n'ai besoin de personne.

L'agitation qui précède les fêtes s'empare des rues, remue les esprits, étoile arbres et vitrines. De ce côté du monde, les images frétillent. Une gaieté, parfois contrainte, anime les visages. Noël est proche. De plus en plus proche.

J'ai averti la famille :

– Liza ne croit plus au Père Noël.

75 – Déjà ? À son âge ? Mais tu aurais dû la persuader du contraire...

– Je ne pouvais pas la tromper. Elle a exigé la vérité.

Ils ricanent, s'étonnent de ma naïveté.

– La vérité ! ! !

80 La veille du grand jour, peu avant minuit, je m'approche à pas de loup de la chambre des enfants.

Assise au bord du lit de son petit frère qui a trois ans, Liza murmure :

– Il faut que tu dormes, Tim, sinon le Père Noël ne viendra 85 pas.

– Tu l'as vu ?

– Il ne se montre jamais. Mais il existe !

Elle se mit ensuite à le décrire : robe et capuche écarlates, larges bottes noires, barbe blanche, hotte remplie à ras bord. 90 Rien ne manquait au personnage. Liza savourait ses propres paroles. Tim la fixait, émerveillé.

La fable s'était remise en marche, le conte reprenait souffle. Liza inventait des images, des parcours, des pays.

Jusqu'au vertige, ses mots amorçaient d'autres mots. Liza 95 racontait les enfants de l'Univers, comme eux en attente, en cette unique nuit.

Le ciel se constellait. La chambre s'élevait, lentement, dans l'espace.

Je reculai sur la pointe des pieds tandis que Tim et Liza s'en-
100 dormaient, souriants, dans les bras l'un de l'autre.

Marie Desplechin

À propos de la vérité

– Je veux connaître la vérité.

Debout, les jambes légèrement écartées, Jean-Gabriel avait posé ses poings fermés sur les hanches. Qu'aurait-il fait de ses mains, de ses bras, si ce n'est cogner sur le petit garçon qui lui
5 tenait tête, Amalia se le demandait, alors il les gardait sur les hanches, disponibles et prêtes à bondir, comme deux chiens que la laisse retient à peine. Bruno gardait les yeux au sol. On ne voyait de lui que ses épaules voûtées et ses cheveux drus, coupés courts sur le crâne.

10 Amalia espérait que le plus grand ne s'accroupirait pas, qu'il ne se mettrait pas à la taille du plus petit, qu'il ne lui parlerait pas en pleine face. La disproportion entre les deux têtes l'inquiétait, le visage anguleux de Jean-Gabriel paraissait monstrueux quand elle le comparait à celui, rond, plein et doré, de
15 Bruno. Trop de menton, trop de front, trop de pommettes. Trop d'os, avec l'âge, et plus assez de chair.

Mais il n'y a pas trente-six stratégies pour faire avouer un ennemi déterminé, et l'intimidation se révélant souvent la plus payante, Jean-Gabriel s'accroupit devant Bruno. De l'index, il
20 releva le menton baissé. Il chercha les yeux, fouillant du regard le visage fermé.

– Je veux que tu me dises la vérité, parce qu'il va bien falloir que je punisse quelqu'un et que je ne tiens pas à être injuste. J'ai l'injustice en horreur. Alors vas-y. Dis-moi la vérité.

25 – Mais je te l'ai déjà dit : ce n'est pas moi. C'est peut-être ton fils. Tu n'as qu'à lui demander.

– Il y a une chose que tu sembles ne pas comprendre, c'est que je ne supporte pas le mensonge. Je ne veux pas de menteur chez moi.

30 – Puisque je te dis que c'est peut-être ton fils.

– Une autre chose que je n'aime pas, c'est cette façon d'accuser un petit qui ne peut pas se défendre.

– Je ne l'accuse pas. Je dis « peut-être ».

– Ne joue pas au plus malin. Je ne fais aucune différence 35 entre toi et mon fils. Il y a une règle dans cette maison et tu la connais : tous les enfants qui vivent sous mon toit respectent le contrat de vérité. Alors ?

– Je veux aller chez mon père.

– Vendredi soir.

40 – Je veux y aller maintenant.

– Ce n'est pas ce qu'a prévu le juge. Le juge n'a pas prévu que tu irais chez ton père chaque fois que tu fais une connerie chez ta mère. Le juge a dit : vendredi soir. Mais tu veux peut-être que je l'appelle, ton père ? Le juge n'a rien dit pour le 45 téléphone, on peut l'appeler n'importe quel jour de la semaine. Tu veux que je lui dise que son fils est un menteur ?

Bruno secouait la tête. Cette tête oscillant sur le doigt, on aurait dit un jouet, une boule basculant mécaniquement autour de son petit essieu.

50 – Comment tu peux le savoir, que je mens ?

– Tu ne m'as pas convaincu du contraire. Et c'est pourquoi j'attends que tu me répondes sincèrement. Qu'on en finisse.

Subitement la voix de Jean-Gabriel avait quelque chose de

las, de presque tendre. Il avait abandonné le menton de Bruno,
55 qui avait aussitôt incliné la tête. Il contemplait avec une sorte de compassion le crâne obstinément baissé.

– Bruno ? Tu te décides ou j'appelle ton père ? Tu as les cartes en main...

Amalia ne put voir les traits du garçon s'altérer[1]. Mais elle
60 observa, très distinctement, une goutte d'eau traverser l'air tiède de l'après-midi et s'écraser au sol.

– Tu pleures ?

Ragaillardi, Jean-Gabriel reprit le visage de l'enfant sur le bout de son index tendu. Il le gardait en équilibre, offert à
65 son regard curieux. Si les lèvres ne tremblaient pas, les larmes débordaient, elles glissaient par-dessus la paupière. Bruno les essuya d'un revers de main et, empêché de regarder le sol, entreprit de fixer le plafond.

– C'est quand même incroyable, maugréa Jean-Gabriel.
70 Toute cette comédie pour ne pas reconnaître que tu as fait une bêtise. Comment te faire confiance ? Si tout ce qu'on peut attendre de toi, ce sont des mensonges permanents...

Jean-Gabriel, que la position accroupie fatiguait, il avait eu ces dernières semaines de graves problèmes de dos, se releva len-
75 tement. Tandis qu'il quittait l'échelle de l'enfant pour revenir à la sienne, tandis qu'il s'éloignait de son visage, Amalia constata que Bruno se redressait imperceptiblement. Il respirait.

Jean-Gabriel se tourna vers Amalia.

1. Se modifier, se déformer.

– Qu'est-ce qu'elle en pense, Amalia, d'un garçon qui refuse
80 de reconnaître qu'il a fait une sottise et qui accuse son petit frère ?

Amalia pensait que, si Jean-Gabriel l'appelait à témoin, alors Bruno avait presque gagné.

– Elle n'en pense rien, elle n'est au courant de rien.

85 Jean-Gabriel haussa les épaules.

– Tu verras, le jour où tu auras des enfants, comme c'est facile de les éduquer, et comme c'est agréable. Quant à toi, reprit-il à l'adresse de Bruno, tu peux filer, mais ne crois pas que tu vas t'en tirer comme ça. On en discutera avec ta mère.
90 Je n'aime pas que l'on me fasse passer pour un imbécile.

Bruno fila par la porte-fenêtre, prestement, comme l'aurait fait un oiseau. À un instant, il est là, sautillant auprès de vous. L'instant d'après il a disparu, bien malin celui qui le rattrapera. Jean-Gabriel se laissa tomber dans le canapé qui faisait face à
95 la cheminée. De ses deux mains ouvertes, il massa doucement son cou raide.

– Si seulement je n'avais pas si mal au dos... Ce ne sont pas tellement ses conneries qui me contrarient. C'est cette manière qu'il a de mentir à tout bout de champ qui me rend dingue. Et
100 quand il ne ment pas, il invente.

– Il aura ses raisons, murmura Amalia.

– Ne te mêle pas de ce que tu ne comprends pas, dit Jean-Gabriel.

– Pourquoi tu ne lui as pas dit ?

105 Amalia levait la tête. Elle protégeait ses yeux de son avant-bras replié sur le front. Dans les éblouissements, elle distinguait à peine Bruno qui s'était réfugié dans le saule. À quelques mètres du sol, les branches épaisses de l'arbre formaient un berceau où un enfant pouvait se nicher à son aise. Juché dans
110 la nacelle, Bruno portait à bout de bras une hache qui faisait presque sa taille.

– Il m'aurait puni de toute façon.

Amalia ramena son visage au sol, l'herbe sèche au pied de l'arbre avait des reflets mordorés. Elle se frotta les yeux pour en
115 effacer les éclaboussures de lumière.

– Tu as le droit de te servir de cette hache ?

Penché sur le côté, en équilibre sur sa jambe ployée, Bruno donnait de petits coups sur une branche malingre qui semblait ne plus tenir au tronc que par négligence. Il tenait le manche à
120 deux mains et balançait devant lui la cognée trop lourde. Elle n'accrochait pas vraiment à la branche, elle glissait sur l'écorce dont elle détachait de petits copeaux qui voletaient dans l'air, se confondant avec les éclats du soleil.

– C'est une branche morte.

125 – Mais la hache ? Tu as le droit de la prendre ?

– Oui.

– Tu mens.

Le rire de Bruno dégringola de l'arbre.

– Prouve-le.

130 – Je vais demander à Jean-Gabriel.

La hache tomba de l'arbre et s'affaissa sur le sol meuble. Accroché par les mains à une branche maîtresse, Bruno se balança puis se laissa chuter. Il atterrit entre Amalia et la hache.

– Je ne tiens pas à ce que tu te blesses, remarqua Amalia. Pas devant mes yeux. Pas quand je te regarde.

– Je ne me blesse jamais, fit Bruno.

Il ramassa le manche et tira la hache vers l'appentis du jardin.

– Comment tu as deviné que c'était moi ? demanda-t-il à Amalia qui le suivait.

La cognée creusait derrière lui une traînée terreuse.

– Je t'ai vu.

Bruno s'immobilisa et se tourna vers elle. Il portait un pantalon de coton informe, troué aux deux genoux. Son polo usé tombait largement sur ses fesses. Une sueur très fine perlait au-dessus de ses lèvres et à la racine de ses cheveux.

– Je ne te crois pas.

– J'étais dans la salle à manger. Je te voyais par la porte de la cuisine. Tu as pris un tabouret sous la table et tu as grimpé pour attraper un paquet de biscuits dans le placard. C'est en descendant que tu as renversé la bouteille de sirop. Tu as nettoyé le sirop avec l'éponge de l'évier, mais tu as fait trop vite. Tu n'as pas fait attention au sucre qui s'était glissé dans les interstices du carrelage. Il aurait fallu utiliser du produit vaisselle et de l'eau chaude.

– D'accord, admit Bruno. Pourquoi tu ne l'as pas dit à Jean-Gabriel ?

– Je ne sais pas.

– Tu mens.

– C'est vrai. Parce que je ne veux pas me mêler de vos his-
160 toires.

– Tu mens encore.

– Parce que je n'aime pas la façon dont il te parle.

– C'est tout ?

– Non. Parce qu'il me rend malade, avec son baratin sur la
165 justice et la vérité.

– Quelquefois, dit Bruno – il avait le visage pensif, il ouvrait la porte de l'appentis –, quelquefois je pense que le jour où je serai aussi grand que lui, je le tuerai avec ma hache.

– Tu ne seras jamais aussi grand que lui, remarqua Amalia.
170 Tu ressembles à ton père. Il est large mais il n'est pas très grand.

– Alors je ne le tuerai pas. Je volerai la hache et je m'en irai pour toujours.

Amalia fit celle qui n'avait pas entendu.

– À ta place, j'irais le trouver et je lui dirais : j'ai renversé
175 la bouteille de sirop et je te demande pardon. Il n'en veut pas plus. Il t'engueulerait un bon coup et ensuite tu serais tranquille.

Bruno secouait la tête. Il réfléchissait.

– Non, dit-il à la fin, non, ça ne m'intéresse pas du tout, être
180 tranquille et tout ça, pas du tout.

Jean-Gabriel n'avait pas bougé du canapé. Un vent léger passait par la porte-fenêtre. Les bras croisés derrière la tête, il gardait les yeux fermés.

– Comment trouves-tu le jardin ? demanda-t-il à Amalia
185 quand il l'entendit entrer dans le séjour.

– Très beau, répondit Amalia. C'est toi qui t'en occupes ?

– Oui et non. Je tonds la pelouse et je taille les arbres. Mais pour les fleurs, ce serait plutôt Catherine. Elle est folle de ce jardin, c'est elle qui a voulu vivre à la campagne.

190 Amalia s'assit à côté de lui, dans un fauteuil.

– Au début, je n'étais pas sûr que je m'y ferais. Mais je me suis habitué. J'aurais du mal à revenir en ville.

– Oui, fit Amalia distraitement, oui, certainement.

La campagne. Il préférait la campagne, tandis qu'elle n'aurait
195 pas supporté de vivre loin de la ville. Il s'habituait toujours, à tout, tandis qu'elle ne s'habituait jamais, à rien. Ils avaient si peu en commun qu'elle s'étonnait toujours d'avoir vécu si longtemps avec lui, d'avoir partagé tant de repas et tant de nuits, des années après leur séparation elle s'étonnait encore,
200 elle était stupéfaite et amusée.

Elle se remémorait leur séparation, cet instant où, assise sur le lit conjugal, elle avait annoncé que c'en était fini de leur association, comme d'une entrée dans la raison, d'un minuscule et lumineux triomphe. Il avait eu l'air surpris, il lui avait
205 demandé de réfléchir. Le soleil de juin inondait la chambre, elle était assise en tailleur sur le lit et elle souriait. « Je crois que c'est une erreur », avait-il dit. « Je ne crois pas », avait-elle répondu et les choses en étaient restées là. Ils avaient déménagé quelques semaines plus tard.

10 Elle lui était reconnaissante d'être parvenu à rompre. Et parce que la rupture avait été pour elle une joie, elle croyait ne pas lui garder rancune de leurs années de compagnonnage.

Les liens qui s'étaient noués entre eux étaient plus nombreux qu'elle ne le soupçonnait et ils se revoyaient plus souvent 15 qu'elle ne l'aurait imaginé. Il y avait le travail, qui les amenait à croiser dans les mêmes eaux[1], les amis qui, ne s'estimant pas tenus de choisir entre l'un et l'autre, persistaient à les inviter aux mêmes dîners. Quand Jean-Gabriel avait emménagé avec Catherine et Bruno, ce petit garçon qu'elle avait eu d'un autre 20 mariage, Amalia s'était fait la réflexion que la nouvelle épouse tiendrait sans doute à les garder à distance, elle et son passé. Mais Catherine avait assez de caractère, ou de distraction, pour ne pas s'encombrer de craintes vaines. Et puis elle avait donné naissance à un autre petit garçon, qui était son sacre[2] et sa 25 puissance. Avec lui, elle avait plongé de vivantes racines dans l'existence de Jean-Gabriel, dans sa chair et dans son cœur, elle se savait invulnérable.

– À quoi tu penses ? demanda Jean-Gabriel.

– À rien, fit Amalia. Je ne vais pas passer l'après-midi ici, il 30 faudrait que tu me rendes ce dossier que je t'ai prêté, est-ce que tu te souviens de l'endroit où tu l'as rangé ?

– Oh, gémit Jean-Gabriel, ne bouge pas. Je vais voir dans mon bureau, il faut que je remette la main dessus.

---

1. Se rencontrer (terme marin que l'on emploie lorsque deux bateaux sont très proches l'un de l'autre).
2. Ce qui l'élevait à un statut majeur, la rendait prioritaire et toute-puissante (dans le cœur de Jean-Gabriel).

Il se redressa lentement. Il souleva son torse raide en prenant
235 garde à ne pas bouger son cou, posa les pieds au sol et se hissa
sur ses jambes. Amalia le regarda se diriger lentement vers l'escalier et disparaître dans la pénombre.

Dans l'appentis, la hache n'avait pas bougé, mais elle était
seule. Amalia chercha Bruno des yeux, dans le jardin, sur la ter-
240 rasse, elle ne le vit nulle part. Elle aurait aimé lui dire quelque
chose encore, elle ne savait pas bien quoi, lui laisser des mots
d'amitié comme on laisse des mots d'amour, sachant qu'ils font
de l'usage, que la mémoire les apprécie mieux que l'instant ne
les saisit.
245 – Bruno ! Bruno !

Il ne répondait pas, sans doute ne l'entendait-il pas. Il devait
être enfermé dans sa chambre, devant sa télévision, à moins
qu'il n'ait pris son vélo et ne soit parti jusqu'au village, faire le
tour de la place déserte à cette heure.

250 Elle revint sous l'arbre. Elle s'agenouilla et souleva devant
elle une plaque de mousse, épaisse et moelleuse. Elle se pen-
cha sur le trou qu'elle venait d'ouvrir dans la terre rousse. Le
parfum de l'humus se posa sur son visage comme une caresse.

– Il y a des choses, murmura-t-elle, que je ne peux pas dire
255 à Bruno parce qu'il est trop jeune, et que je ne peux pas dire à
Jean-Gabriel parce qu'il est trop tard. Il faut pourtant que ces
choses soient dites.

Elle avait penché la tête si bas que sa bouche touchait
presque le sol. Elle aurait pu goûter la terre, si elle avait voulu,

260 la prendre sur sa langue, saisir entre ses lèvres les flocons humides.

– Je veux que la terre entende que Jean-Gabriel est le plus grand menteur que la terre ait jamais porté, dit-elle en s'efforçant d'articuler – les mots se répandaient sur le sol autour
265 de ses lèvres et filaient comme une source. Il m'a menti si souvent, à moi, que je n'aurais pas assez de l'après-midi pour faire le compte de tous ses mensonges. Il m'a menti le jour, la nuit, et quand j'étais sur un lit d'hôpital, par ses silences et par ses gestes, seul et en compagnie, dans les serments il mentait
270 encore. Il n'a jamais menti que pour son confort et par lâcheté, et ses mensonges ont labouré ma vie jusqu'à ce qu'elle soit désolée et que plus rien n'y pousse. Alors, il aura beau se proclamer le champion de la justice et de la vérité, il faut que la terre au moins se souvienne que Jean-Gabriel a été et restera le
275 roi des menteurs. Et un sacré malade pour emmerder un gosse avec une histoire de sirop renversé.

Amalia regarda la terre qui venait de l'entendre. Elle n'avait pas bougé, elle avait englouti les mots comme elle absorbait l'eau et la lumière. Des araignées lilliputiennes[1] caracolaient,
280 presque translucides, sur les grumeaux brunâtres. Entre ses mains jointes, Amalia ramassa le couvercle de mousse arraché au sol et le déposa soigneusement sur la plaie qu'elle avait ouverte quelques instants plus tôt. La pièce s'emboîta instantanément.

1. Minuscules.

285 – Et voilà, chuchota Amalia en tapotant le sol du plat de la main. Ce qui est dit n'est plus à dire.

Elle se releva doucement, elle était engourdie.

– Ma parole, dit-elle aussi, la seule façon de lui pardonner est encore de penser qu'il est dingue.

290 Elle frotta ses genoux maculés et prêta l'oreille. On n'entendait que les pigeons ramiers, le souffle du vent au sommet de l'arbre et, au loin, le vrombissement continu des échangeurs de l'autoroute.

Assise dans un fauteuil de plastique vert, les jambes étendues 295 devant elle, Amalia attendait que Jean-Gabriel ait remis la main sur son dossier. On voyait, de la terrasse, les jardins mitoyens, leurs pelouses entretenues, les lilas chargés de grappes.

– Je me demande où est passé Bruno, dit-elle quand elle vit 300 Jean-Gabriel arriver sur la terrasse. Il a disparu.

– Voilà ton dossier, fit Jean-Gabriel en déposant une chemise de carton sur ses genoux. Vérifie qu'il ne te manque rien.

Elle ouvrit la chemise et feuilleta les documents. Debout, à côté d'elle, Jean-Gabriel contemplait le jardin.

305 – Dans l'arbre, dit-il soudain. C'est là qu'il va se fourrer quand il a fait un mauvais coup.

– Non, répondit Amalia sans lever la tête, il y était tout à l'heure mais je l'ai vu descendre.

– Il faut croire qu'il est remonté. Regarde : Bruno !

10 Amalia abandonna son dossier et fixa l'arbre. Une petite silhouette s'accrochait aux branches, elle glissait le long du tronc, elle se recevait au sol, les jambes fléchies. Bruno était maintenant devant elle et la regardait avec un sourire carnassier.

– Tu es là-haut depuis longtemps ?

15 – À ton avis ?

Jean-Gabriel eut une grimace d'exaspération.

– Réponds poliment. Je t'en prie, Bruno. Recommence. Poliment.

– Ce n'est pas grave, murmura Amalia. Laisse tomber. Je 20 m'en fous.

– Dans ce cas, grommela Jean-Gabriel, évidemment, c'est plus facile.

Le regard de Bruno quitta le visage d'Amalia et descendit se poser sur le bout des sandales de Jean-Gabriel.

25 – Jean-Gabriel, j'ai un truc à te dire.

– Oui ?

– J'ai renversé la bouteille de sirop en grimpant sur un tabouret pour prendre des biscuits dans l'armoire.

Les yeux de Jean-Gabriel se firent tout petits. Ils disparurent 30 dans une multitude de petites rides creusées par la surprise et la satisfaction. Il se tourna vers Amalia et observa un moment de silence, tout à la saveur de l'aveu, de la victoire.

– C'est bien, Bruno, dit-il. Je suis fier de toi, et je suis fier de nous. Comme promis tout à l'heure, tu seras puni. Tu n'iras 35 pas au foot demain, tu garderas ton frère pendant que nous sortirons, ta mère et moi. Mais si la punition est nécessaire, tu sais qu'elle n'a pas une grande importance. Ce qui est important, c'est que tu aies respecté notre contrat de vérité. Que je puisse retrouver un peu de confiance en toi.

340 Bruno ne répondait pas. Il fixait Amalia dont le visage rougissait de manière effrayante.

– Tu te sens bien ? s'inquiéta Jean-Gabriel en se penchant vers elle. On dirait que tu as pris un coup de soleil.

– Je crois que je vais rentrer, dit Amalia. Je suis très fatiguée.

345 Jean-Gabriel sortit un trousseau de clés de la poche arrière de son short.

– Je te raccompagne à la gare.

– Je préfère aller seule, se défendit Amalia. À pied. J'ai envie de marcher.

350 Jean-Gabriel hocha la tête. Aussi vite, les clés disparurent dans la poche du short, tout contre la fesse.

– C'est sympa de passer nous voir, remarqua Jean-Gabriel. Tu devrais venir plus souvent.

Quand elle fut sur le seuil du jardin, Amalia se retourna.
355 Jean-Gabriel avait déjà refermé derrière lui la porte de la maison. Mais elle cherchait Bruno. Elle n'eut pas à guetter longtemps, il se dirigeait vers elle, son polo lui battant les cuisses.

– Au revoir, dit-elle en lui tendant la main.

– Au revoir, dit-il, et la petite main rêche vint se couler dans
360 la sienne.

– Je ne savais pas que tu étais dans l'arbre, ajouta-t-elle.

– Je ne savais pas que tu parlais aux racines.

– Si j'avais imaginé que tu pouvais m'entendre, précisa Amalia, je n'aurais rien dit.

65 – Tu mens, remarqua Bruno. Mais ce n'est pas grave.

Elle se détourna, descendit du seuil de pierre et s'engagea dans la ruelle qui menait à la gare. Elle l'entendit qui fermait la porte, le chuintement des gonds, le claquement sec de la clenche[1]. Puis elle l'entendit à nouveau, qui se ravisait. Il avait 70 ouvert la porte et courait derrière elle, la porte restait battante.

– Je voulais te dire, il tendait vers elle son visage préoccupé, pour la hache...

– Quoi, la hache ?

– Le jour où tu la voudras, tu pourras me la demander. Elle 75 sera ta hache aussi, je te la passerai.

1. Pièce métallique se bloquant à la fermeture de la porte et se relevant avec la poignée pour ouvrir.

Annie Ernaux

Première enfance

C'est une photo d'art, ovale, collée à l'intérieur d'un livret bordé d'un liseré doré, protégée par une feuille gaufrée, transparente. Au-dessous, Photo-Moderne et la signature du photographe, E. Ridel. On voit un gros bébé joufflu, à la lippe[1] boudeuse, avec des cheveux bruns formant un rouleau sur le dessus de la tête, assis à moitié nu sur un coussin au centre d'une table sculptée. Le fond bistre[2] et nuageux, la guirlande de la table, la chemise brodée, relevée sur le ventre et dont une bretelle a glissé sur le bras potelé, tout vise à représenter un amour ou un angelot de peinture. Ainsi, tandis que le pays était occupé par les Allemands, la moitié des hommes prisonniers, que les rafles de Juifs et de Tziganes commençaient, on continuait de conduire les nouveau-nés chez le photographe, de célébrer leur entrée dans le monde par une œuvre d'art dont tous les membres de la famille, des deux côtés, recevraient un tirage.

Une autre photo, signée du même photographe – mais le papier du livret est plus ordinaire et le liseré d'or a disparu –, sans doute vouée à la même distribution familiale, montre une petite fille entre quatre et cinq ans, sérieuse, presque triste malgré une bonne bouille rebondie sous des cheveux courts, séparés par une raie au milieu et tirés en arrière par des barrettes auxquelles sont accrochés des rubans. La main gauche repose sur la même table sculptée – cette fois entièrement visible, de style Louis XVI – ce qui lui remonte l'épaule. Elle apparaît

---

1. Lèvre inférieure.
2. Couleur brun jaunâtre.

25 engoncée dans son corsage et sa jupe à bretelles remonte par-devant à cause d'un ventre proéminent, peut-être signe de rachitisme[1].

Ces pièces d'archives familiales ne me disent rien sauf « c'est moi » – en écho au « c'est toi », qu'on a dû répéter en me les 30 montrant – et aussi qu'elles appartiennent au temps de L.

Le temps de L., c'est la guerre, comme une donnée normale de l'existence. Un jour, on a dit « la guerre est finie ». J'étais née dedans, sa fin n'avait pas de signification.

Ce temps est sans dates, sans repères. Seulement des images 35 de lieux, des scènes.

Il y a la maison au bord de la rivière, en contrebas d'une route qui longe l'usine de filature[2] aux cheminées en brique rouge cerclées de fer. Au rez-de-chaussée, côté rue, la salle de café tout en longueur, avec un billard sous lequel on se cache 40 pendant les bombardements, et la boutique d'alimentation, vide de marchandises. À l'arrière, la cuisine donnant sur une courette pavée, encastrée entre les murs des maisons voisines, sauf du côté de la rivière coulant au pied d'un muret percé de marches pour aller puiser de l'eau.

45 La rivière est étroite, assez claire pour que je voie de la vaisselle cassée, des objets rouillés, dans le fond. Sur l'autre rive

---

1. Maladie de la croissance qui touche le squelette (carence en vitamine D, calcium et magnésium dont l'un des symptômes est un gros ventre).
2. Établissement de filage des matières textiles.

se dresse un haut bâtiment de bois, sans doute le dos aveugle[1] d'un hangar d'usine. Les cabinets de la courette sont installés en surplomb au-dessus de la rivière. Les excréments étaient
50 emportés peu à peu par l'eau qui venait les battre et clapoter autour régulièrement.

De la cuisine, l'escalier débouche à l'étage dans la salle à manger, qui sert le dimanche seulement. Sur la table, une coupe de fleurs artificielles orange à tiges noires. En face, la
55 chambre, mon petit lit en bois de rose collé contre le lit de mes parents, la fenêtre sur la cour, avec une barrière pour m'empêcher de tomber. Une pièce minuscule, contenant un lit-cage, des valises bourrées de factures. Une autre pièce sur la rue, plus grande, vide.

60 Toutes les images de l'intérieur de la maison m'apparaissent grisées, dans une sorte de vision crépusculaire qu'on attribue aux chats. Seule la table de la salle à manger et les fleurs artificielles sont dans la lumière. L'enfant que je vois n'a pas de corps. Elle est une petite ombre trottinant au milieu de grandes
65 ombres, mes parents, les clients et les soldats dont les allées et venues ne cessent pas. Au-dessus de la petite ombre plane une voix immense, aux éclats de colère et de rire imprévisibles, la voix de ma mère, la voix de Dieu, qui se taira quarante ans plus tard, et alors seulement je serai libre.

---

1. Mur sans fenêtres.

70 Très loin, au-delà de la filature, après l'église et le Cirque Romain, il y a le jardin public. Près de la grille d'entrée, un canon rouillé sur lequel les enfants grimpent, décollent un escargot qui s'y est accroché. Un arbre énorme recouvrant d'ombre le bac à sable devant lequel ma mère est assise sur un 75 banc avec d'autres mères. C'est le lieu de l'après-midi, du soleil et des enfants inconnus – réfugiés venus du Havre pilonné par les bombes –, de l'aveugle qui a enlevé ses lunettes noires, offrant deux trous tapissés de peau à la place des yeux.

Dans ce temps de L., rien qui ressemble à de la pensée, seu-80 lement de la sensation épaisse, violente, aussi matérielle qu'une chose, enfermée dans des scènes souvent muettes, les unes fixes, les autres en mouvement. Un film uniformément noir d'où surgiraient parfois quelques images sans le son :

Une tranchée ouverte dans de la terre jaune, peut-être au 85 flanc de la colline au-dessus de la rivière, avec des planches pour s'asseoir. C'est un abri qui sert de refuge pendant les bombardements. Quelqu'un a apporté une assiette de biscuits.

Nous mangeons le long d'un talus, au soleil. Ma mère porte une robe en tissu gaufré beige. Chaleur, rires. Des canards, 90 sans doute venus d'une ferme voisine et auxquels on a jeté des morceaux de flan, nous suivent quand mes parents repartent à bicyclette. Je suis sur le porte-bagages de mon père, ma mère roule devant.

Nous sommes sur une route bordée d'un bois clair. Le 95 soleil a disparu. Des bombardiers tournent au-dessus de nous, les vélos sont jetés sur le bas-côté droit de la route. Ma mère s'enfonce seule dans le bois, mon père reste au bord, me tenant par la main. Je hurle et je pleure. Il me semble que ma mère nous abandonne et que je vais mourir. Ou bien c'est elle qui va mourir.

Ces deux scènes ne sont peut-être pas à situer dans le même dimanche mais je les ai toujours associées, faisant suivre la seconde immédiatement après la première, en une sorte de diptyque[1] : le bonheur et le malheur, dans un dimanche d'été.

Nous sommes assis sur des bancs en plein air, au milieu de gens. Devant nous, sur une estrade, une grande boîte dans laquelle on enferme une femme. Seuls sa tête, ses mains et ses pieds dépassent. Des piques sont enfoncées de part en part au travers de la boîte. À la fin, la femme est quand même vivante. Apprendre, presque aussitôt sans doute, que tout cela était faux, du théâtre, n'a rien changé à la sensation d'horreur ressentie devant un spectacle qui était pour moi alors la réalité. C'est seulement par un effort de réflexion et de classification que cette image d'une femme empalée de toutes parts cesse d'être équivalente à celle du bombardement dans les bois. Trente ans plus tard, dans une revue scientifique ancienne, je lirai la description et l'explication de ce tour de prestidigitation, paraît-il très célèbre avant la guerre, intitulé « Le martyre d'une femme ».

Autre diptyque.

---

1. Œuvre picturale composée de deux panneaux pouvant être rabattus l'un sur l'autre.

120 Première image. Ma cousine, une grande qui va déjà à l'école, monte sur la table à la fin du déjeuner et chante « Petit coquelicot mesdames, petit coquelicot messieurs » avec des mines. On rit. Tout est noir en moi.

Deuxième image. Elle lit dans la buanderie de la courette, je 125 m'approche silencieusement derrière elle, avec des ciseaux, et je coupe une des boucles de sa chevelure qui frise naturellement. Cris horribles, de ma cousine, puis de ma mère. Voir encore nettement la boucle, sentir la force et la plénitude du désir de cette minute.

130 D'autres images, la plupart liées à une nourriture désirée violemment, au sexe ou aux excréments. Ce sont des fascinations : impossibilité de s'arracher à la chose vue, par suite[1] de l'oublier.

Des pêches que ma mère tient dans un sachet et que je veux manger immédiatement, « même avec la peau », au jardin 135 public. Même désir pour des prunes rouges, vendues dans un sachet transparent, comme s'il s'agissait de gros bonbons, que ma mère achète dans une fête, un dimanche.

La chose inconnue – son sexe – que mon petit compagnon de jeux a sorti de sa culotte pour arroser le château de sable 140 que nous construisons ensemble dans la rue, devant la porte du café.

La langue que tire en riant une jeune femme à un G.I.[2] dans le camp américain – où ma mère m'a emmenée me promener,

---

1. Et de ce fait, par conséquence.
2. Soldat américain.

un après-midi – en passant dessus un tampon ou une sucette qui la rend toute bleue.

Un pot de chambre sali sur toute la surface intérieure, comme s'il avait été torché comme une casserole, dans la chambre d'un enfant malade, le petit garçon d'une garde-barrière[1] auquel ma mère rend visite.

Les biscuits trempés dans le cidre et transformés en bouillie jaune, passant et repassant entre les deux dents qui restent à la « mère Foldrin », attablée dans le café.

Etc.

Pour toutes ces images et ces scènes, impossibles à ordonner les unes par rapport aux autres, une seule certitude : c'était dimanche ou non.

Et ceci, mais qui n'appartient pas aux scènes, ni aux fascinations :

Un après-midi, seule à la fenêtre ouverte de la chambre. Je crie et une voix lointaine me répond. Plusieurs fois je recommence à lancer des cris et des paroles. Là-bas, au-delà de la bâtisse, la petite fille cachée me répond toujours mais se tait quand je me tais. Je ne sais pas comment ni quand j'apprendrai qu'il s'agissait de l'écho.

Je marche seule, tête baissée, coudes au corps, longeant les

1. Personne qui était chargée de la surveillance d'un passage à niveau.

clôtures de la petite rue qui monte vers la grand-route de la filature. Je l'atteins, la suis sur quelques dizaines de mètres, puis je redescends par une autre petite rue vers la maison. C'est la première fois que je m'aventure seule si loin, enfreignant la
170 défense de mes parents. Je revois le sol caillouteux, si proche de mon regard, je sens ma peur et ma volonté d'aller jusqu'au bout.

Impression que, dans ces deux récits, il ne s'agit pas d'une enfant, mais d'une conscience de soi, distincte des choses, et
175 d'une conscience du monde.

En ces années, des enfants montent dans des trains pour Auschwitz, les habitants de Leningrad mangent des chats pour survivre, des résistants du Vercors sont fusillés contre des arbres. Dans le ghetto de Varsovie, on empile dans des charrettes les
180 cadavres nus, en repliant les bras et les jambes. À Hiroshima, des milliers de corps se racornissent en quelques secondes et le colonel Tibbets[1] qui a jeté la bombe raconte que s'est élevée une poussière d'or au moment de l'explosion. J'ai vu ces images à la télévision. Je ne peux pas les unir à celles de L., dont elles
185 sont pourtant contemporaines. Même, en les voyant, je n'arrive pas à croire que j'étais déjà née en ce temps-là.

Le temps de L., qui n'a pas eu de commencement pour moi, s'achève à l'automne 1945, à l'avant d'un camion de démé-

1. Pilote militaire américain (1915-2007) qui a lancé la première bombe atomique sur Hiroshima le 6 août 1945.

nagement. Mes parents ont vendu le fonds de commerce et
190 retournent à Y., où ils sont nés, dont ils sont partis quatorze
ans auparavant. C'est un dimanche. Le camion avance difficilement au milieu de la foule et des baraques d'une fête foraine installée au milieu de monceaux de gravats et de maisons démolies. Le centre de Y. a été brûlé lors de l'avance allemande
195 en 1940, il ne reste que des décombres. Nous allons habiter deux pièces sans électricité dans une rue intacte, près du centre.

En partant de L., j'ai commencé à me souvenir. Le jardin public, la maison de commerce au bord de la rivière, le corps beige de ma mère sur sa bicyclette, les tanks américains jetant
200 des sachets d'orange en poudre dans la rue de la filature se sont fondus dans la vision ensoleillée d'un jour de fête.

Après-texte

POUR COMPRENDRE

GROUPEMENTS DE TEXTES

INFORMATION/DOCUMENTATION

Lire

1 Pourquoi le professeur arrive-t-il en retard ? Quelle est la conséquence de ce retard pour les élèves ?

2 P. 9-12, l. 18-85 : quelle question le professeur pose-t-il aux élèves ? Faites la liste des différentes réponses proposées.

3 P. 13-14, l. 116-131 : à quels maux et défauts le professeur associe-t-il l'ignorance ?

4 P. 14-17, l. 135-207 : quelle thèse A et B défendent-ils chacun ? Quels arguments mettent-ils respectivement en avant pour défendre leur idée ?

5 P. 14-17, l. 135-207 : comment la discussion entre A et B évolue-t-elle ? Observez leurs réactions.

6 P. 17, l. 204-207 : à votre avis, pourquoi A fait-il avec les doigts le signe de la victoire avant de mourir ?

7 Selon vous, qu'est-ce qui a tant bouleversé le professeur dans ce fait divers ?

Écrire

8 Imaginez et rédigez le dialogue d'une des familles commentant la dispute de A et B (p. 17-18, l. 220-224).

9 Vous vous êtes trouvé confronté à une situation similaire, durant laquelle vous avez pu constater que l'incompréhension ou la méconnaissance avait été le point de départ d'actes excessifs. Racontez, en insistant sur vos réactions et vos sentiments au moment des faits et sur ceux que vous éprouvez actuellement.

10 À votre avis, comment peut-on lutter contre l'ignorance ?

Chercher

11 Faites la liste des indices qui permettent de situer géographiquement et temporellement ce récit.

12 Faites une recherche sur le vocabulaire de l'ignorance et celui de la connaissance.

13 « L'ignorance est la mère de tous les maux » (p. 13, l. 119). Comment comprenez-vous cet adage ? Cherchez d'autres proverbes ou citations sur l'ignorance.

14 Proposez d'autres faits d'actualité ou tirés de votre expérience pour illustrer l'affirmation du professeur : « l'ignorance est la pire chose au monde ».

15 Faites une recherche sur Tahar Ben Jelloun. Quels ouvrages didactiques a-t-il rédigés à l'intention des jeunes ?

À SAVOIR

LA NOUVELLE

La **nouvelle** est d'abord un **récit bref**. Elle peut être plus ou moins longue (de quelques lignes à une trentaine de pages), et appartenir à différents **registres** (lyrique, tragique, humoristique, fantastique, satirique…).

On la trouve sous différentes **formes** : échanges de lettres, récit unique, récits enchâssés… Ainsi, dans *Les chèvres ne volent pas*, l'histoire de A et B (l. 132-207) est incluse dans ce que raconte M. Abid aux élèves (l. 6-219), propos qui sont eux-mêmes insérés dans le récit du narrateur-élève qui parle à la première personne (l. 1-224).

Ses contenus sont aussi extrêmement variables, puisque n'importe quel événement peut être matière à récit. C'est pourquoi il est assez difficile de la définir.

Ce qui la caractérise surtout, c'est son **impact sur le lecteur**. Le plus souvent, quel que soit le thème du récit, elle vise à lui faire **considérer** (ou reconsidérer) les choses et les êtres sous un jour nouveau. Elle montre une vie intérieure et une réalité extérieure d'une façon condensée, provoquant ainsi plus aisément la **prise de conscience** (ici, les conséquences néfastes de l'ignorance).

La nouvelle adopte le **dépouillement** en proposant peu d'actions et peu de personnages. Elle raconte **rapidement** des événements, qui peuvent être ceux d'une vie entière comme ceux d'une journée, et même de quelques instants. Elle peut aussi relater un moment choisi en s'arrêtant plus **longuement** sur l'observation de ce moment ou sur les sentiments des personnages (ceux de A et B, sur lesquels monsieur Abid insiste).

C'est l'essor de la **presse** au XIXe siècle qui a favorisé l'apparition et la diffusion de la nouvelle : les plus grands auteurs, comme Guy de Maupassant, Alphonse Daudet ou Edgar Allan Poe, ont d'abord destiné leurs récits aux lecteurs de journaux. C'est aussi pour cette raison que la nouvelle s'appuie souvent sur le **fait divers** (ici une noyade faisant suite à une dispute ridicule).

Lire

1 Quel âge a Liza ? Quelle question veut-elle poser à sa mère ?

2 P. 22, l. 37 : pourquoi la mère est-elle « tiraillée » et hésite-t-elle à répondre à la question de sa fille ?

3 P. 22-23, l. 45-55 : pourquoi, finalement, la mère dit-elle la vérité à Liza ?

4 P. 23, l. 56-68 : comment Liza réagit-elle ?

5 P. 24-25, l. 80-100 : pourquoi, à votre avis, Liza ne dit-elle pas à Tim que le Père Noël n'existe pas et entretient-elle même le mensonge ?

6 P. 21, l. 1-26 : comment la narratrice ménage-t-elle le suspense dans l'incipit ? Quel est l'effet sur le lecteur ?

7 P. 21, l. 12 : expliquez le sens des adjectifs dans l'expression « lumière au néon – crue, inflexible ».

8 P. 22, l. 46 : comment comprenez-vous le terme « comédie sociale » employé par la narratrice ?

Écrire

9 Changement de point de vue : racontez toute la scène en faisant parler Liza à la première personne.

10 Vous avez déjà été confronté à une situation similaire : il vous a fallu dire une vérité s'avérant douloureuse pour votre interlocuteur. Racontez en présentant les circonstances de l'aveu et en développant les conséquences.

11 Croyiez-vous à un personnage fabuleux (Père Noël, Petite Souris...) lorsque vous étiez enfant ? Quels sentiments avez-vous éprouvés lorsque vous avez su qu'ils étaient imaginaires ? Racontez.

12 Selon vous, la vérité est-elle toujours bonne à dire ?

Chercher

13 Faites une recherche sur le Père Noël. En quoi peut-on affirmer avec la narratrice qu'il s'agit d'un « fabuleux personnage » (p. 22, l. 34) ?

14 Faites une recherche sur le vocabulaire de la vérité et celui du mensonge.

15 Faites une recherche sur des films ou des pièces de théâtre dans lesquels l'auteur insiste sur l'idée que la vérité doit être révélée ou, au contraire, qu'elle est nuisible et provoque des catastrophes.

16 En vous rapportant à la biographie d'Andrée Chedid, expliquez la phrase : « De ce côté du monde, les images frétillent » (p. 23, l. 70-71).

À SAVOIR

LE STATUT DU NARRATEUR ET LE POINT DE VUE

Il ne faut pas confondre l'auteur (qui écrit), le narrateur (qui raconte) et le personnage (qui agit).
Le narrateur peut être **l'un des personnages** de l'histoire : il parle alors à la **première personne** et ne raconte pas plus que ce qu'il voit et fait. Dans *La Vérité*, la narratrice est la mère de Liza, elle parle à la première personne et raconte la scène de son point de vue.
Il peut aussi être **hors de l'histoire** : il ne participe pas à l'action et parle à la **troisième personne**. Quand il sait tout de l'histoire, on dit alors qu'il est **omniscient**. Mais tout en étant extérieur, il peut aussi **adopter un point de vue interne** : il raconte alors les faits comme s'il éprouvait les sentiments d'un des personnages ou comme s'il voyait les personnes et les lieux à travers ses yeux.

À SAVOIR

DISCOURS, EFFET ET VISÉE

On désigne par le terme « **discours** » un énoncé écrit ou oral qui a une fonction précise : raconter, décrire, expliquer ou argumenter. Dans un même récit, on peut bien sûr trouver plusieurs formes de discours qui se combinent. Ainsi, la narratrice de *La Vérité* relate sa conversation avec Liza, mais elle décrit aussi ses sentiments et ses réactions (p. 22, l. 31-35).
Quelle que soit sa forme, chaque discours a une **visée**, qui résulte d'une **intention** de la part du narrateur, qui peut par exemple décrire pour faire comprendre (p. 23, l. 56-61), ou expliquer pour convaincre (p. 22, l. 45-48)... Ces discours sont destinés à produire un **effet** sur le lecteur (l'amuser, l'intriguer, l'émouvoir...).

Lire

1 P. 29-32, l. 1-90 : quel personnage prononce la première réplique (l. 1) ? À qui s'adresse-t-il ? Qui est témoin de la conversation (l. 1-90) ?

2 P. 36-37, l. 194-227 : indiquez les liens qui unissent les personnages de ce récit.

3 Qu'est venue faire Amalia chez Jean-Gabriel ?

4 Quelle « bêtise » Bruno a-t-il faite ? Pourquoi ne veut-il pas la dire à Jean-Gabriel ? Qu'est-ce qui, finalement, l'incite à avouer ?

5 P. 30, l. 37 : en quoi consiste le « contrat de vérité » établi par Jean-Gabriel ?

6 P. 35, l. 166-172 et p. 43, l. 371-375 : que représente la hache pour Bruno ?

7 Quels sentiments Amalia et Bruno éprouvent-ils respectivement pour Jean-Gabriel ?

Écrire

8 Amalia décide d'appliquer le « contrat de vérité ». Rentrée chez elle, elle écrit une lettre à Jean-Gabriel pour lui faire part de ses réflexions et de ses sentiments à propos de la scène à laquelle elle a assisté durant l'après-midi. Rédigez cette lettre.

9 Amalia dit que les mots d'amour et d'amitié « font de l'usage », que « la mémoire les apprécie mieux que l'instant ne les saisit » (p. 38, l. 240-244). Racontez un événement que vous avez vécu qui viendrait confirmer ou au contraire réfuter cette affirmation.

10 Pensez-vous, comme Jean-Gabriel, que « la punition est nécessaire » (p. 42, l. 336) ?

Chercher

11 Relevez et commentez les propos de Jean-Gabriel qui vous paraissent particulièrement déplacés ou cruels. Quels sentiments provoquent-ils chez vous ?

12 Comment comprenez-vous la remarque de Bruno : « ça ne m'intéresse pas du tout, être tranquille et tout ça… » (p. 35, l. 179-180).

13 De quel point de vue la première partie de ce récit est-elle racontée (p. 29-33, l. 1-104) ? Le narrateur conserve-t-il le même point de vue dans la suite du récit ?

À SAVOIR

LES PAROLES RAPPORTÉES

Les paroles des personnages peuvent être rapportées :

• **directement**, dans un **dialogue**, lorsque les paroles sont reproduites telles qu'elles ont été prononcées. On utilise alors le système du présent (présent, futur, passé composé...), et les première et deuxième personnes : « Comment tu peux le savoir, que je mens ? » (p. 30, l. 50) ;

• **indirectement** :

– lorsque le narrateur reprend les propos d'un personnage et les insère dans le **récit** au moyen d'un verbe de parole suivi d'une proposition subordonnée conjonctive introduite par un mot subordonnant (« Elle avait annoncé que c'en était fini de leur association », p. 36, l. 202-203) ;

– le narrateur peut aussi prendre en charge le discours d'un personnage sans utiliser de verbe de parole ni de mot subordonnant pour l'introduire : c'est le **discours indirect libre** : « Il avait eu ces dernières semaines de graves problèmes de dos », (p. 31, l. 73-74). C'est alors le contexte qui permet de comprendre qui parle.

Les **dialogues** peuvent avoir **plusieurs fonctions** dans le récit :

– **informer** sur la réalité vécue par les personnages : « Ce n'est pas ce qu'a prévu le juge… », p. 30, l. 41-45) ;

– **indiquer** leurs intentions ou leur rôle : « Je veux que tu me dises la vérité », (p. 29, l. 22) ; « je le tuerai avec ma hache », (p. 35, l. 168) ;

– **mettre en valeur** les caractères, les affrontements, les alliances... : « Elle n'en pense rien, elle n'est au courant de rien », (p. 32, l. 84) ; « Tu mens », (p. 35, l. 158) ;

– **faire un effet** sur le lecteur (le faire rire, s'apitoyer...) : « Je veux aller chez mon père », (p. 30, l. 38) ; « Tu pleures ?, p. 31, l. 62) ;

– **ralentir le rythme** du récit, en permettant au lecteur d'assister « en direct » à un échange verbal : p. 36, l. 184-193 par exemple.

Lire

1 P. 48-52, l. 34-129 : dénombrez les « images de lieux » ou les « scènes » qui sont décrites et racontées par la narratrice. Proposez un titre pour désigner chacune d'elles.

2 P. 48, l. 32-33 : pourquoi la narratrice n'a-t-elle ressenti aucune émotion à l'annonce de la fin de la guerre ?

3 P. 50-53, l. 88-153 : quelle est l'unique certitude de la narratrice adulte quand elle évoque les scènes et images ?

4 P. 53-54, l. 159-172 : de quoi la narratrice a-t-elle pris conscience lors des deux événements racontés dans ces lignes ?

5 Nommez toutes les émotions et sentiments éprouvés par la narratrice au moment où elle a vécu les événements qu'elle raconte.

6 À quoi renvoie « le temps de L. » pour la narratrice adulte ?

Écrire

7 Choisissez une photo de votre enfance et, à la manière d'Annie Ernaux, rédigez un texte sur vous-même à cette époque. Vous raconterez un fait ou une émotion qui vous a particulièrement marqué(e).

8 Récoltez un certain nombre d'images, objets, sons, musiques, odeurs qui vous évoquent votre enfance. Numérotez-les par ordre d'importance sentimentale et rédigez une courte légende pour chacun d'eux. Commentez votre collection.

9 À la manière d'Annie Ernaux (p. 50-51, l. 88-100 ou p. 52, l. 120-129), écrivez un diptyque sur l'une des oppositions suivantes : « le bonheur et le malheur », « la beauté et la laideur » et « l'amour et la haine ».

Chercher

10 Relevez tous les indices du texte qui permettent de situer temporellement et géographiquement les événements et souvenirs évoqués par la narratrice.

11 P. 48-49, l. 36-59 : en suivant les indications de la narratrice, faites un plan de la maison de L.

12 P. 54, l. 176-183 : faites une recherche sur les faits réels évoqués dans ces lignes. Proposez une image pour illustrer chacun d'eux.

À SAVOIR

LE RÉCIT DE VIE

Le récit de vie peut avoir différentes formes : Mémoires, journal intime, biographie, confessions, correspondance, témoignage, nouvelle, roman… Le plus souvent, il est écrit à la **première personne** et le narrateur y raconte **sa jeunesse**, qu'il commente, et sur laquelle il porte un **regard** nostalgique ou critique, comme le fait Annie Ernaux (p. 52, l. 120-129). Si c'est l'écrivain qui raconte sa propre vie, sincèrement et sans rien en modifier, il s'agit d'une **autobiographie** : il est en même temps auteur, narrateur et personnage principal du récit.

Dans son récit de vie, le narrateur **retranscrit les faits et les sentiments** qu'il a ressentis autrefois, et ceux qu'il éprouve au moment où il écrit (*Première enfance*, p. 54, l. 173-175). Il fait donc alterner deux « je » : celui du passé (le « je » narré = le personnage) et celui du présent (le « je » narrant = le narrateur). Ce narrateur présent peut prendre une **distance critique** ou **ironique**, **commenter**, **juger** et **justifier** les actions passées du « je » narré. Il marque alors sa **subjectivité** par différents moyens : adverbes (« peut-être signe de rachitisme », p. 48, l. 26-27), mots péjoratifs ou mélioratifs (« torché comme une casserole », p. 53, l. 147), comparatifs et superlatifs (« dans une sorte de vision crépusculaire… », p. 49, l. 61), types et formes de phrases…

Lire

1 Quelle est la nouvelle qui n'est pas rédigée à la première personne ? Que pouvez-vous en déduire du statut du narrateur ?

2 Parmi ces quatre nouvelles, quelles sont celles qui vous paraissent être des récits de vie ?

3 Dans quel(s) récit(s) le narrateur s'interroge-t-il sur des réactions ou des actes en établissant une distance critique et en formulant un jugement ?

4 P. 21-25, *La Vérité* : comment expliquez-vous le choix fait par la narratrice d'alterner le système des temps (présent l. 1-44 et passé l. 45-68) ?

5 P. 47-55, *Première enfance* : comment expliquez-vous que la narratrice emploie essentiellement le présent, alors qu'elle relate des faits passés ?

Écrire

6 Rédigez une ou deux pages du journal intime imaginaire de Bruno, le petit garçon personnage d'*À propos de la vérité* (p. 29-43).

7 Racontez quelques étapes marquantes de votre vie en vous référant à des photos de vous à différents âges qui viendront illustrer votre récit. Vous commencerez chaque paragraphe par : « Quand j'avais ... ans, je... ». Vous insérerez quelques commentaires à votre narration.

8 Faites une recherche sur chacun des auteurs des quatre nouvelles et rédigez une page de leur biographie à la première personne, en développant un moment de leur vie comme s'il s'agissait d'un passage de leur autobiographie. Écrivez d'une couleur ce qui est vérifiable (et objectif), et d'une autre ce qui est non vérifiable (et donc subjectif).

Chercher

9 Faites une recherche sur la biographie d'Annie Ernaux. Dites ensuite si *Première enfance* (p. 47-55) vous paraît être un récit autobiographique. Justifiez votre réponse à l'aide de citations commentées.

10 Quels récits autobiographiques avez-vous déjà lus ? Faites la présentation à l'oral de l'un d'entre eux.

11 Sur Internet ou dans des ouvrages d'art, repérez et collectez des autoportraits qui vous plaisent, vous intriguent ou provoquent en vous des réactions ou des sentiments forts. Présentez-les et expliquez ce qu'ils ont déclenché en vous.

À SAVOIR

LA CHRONOLOGIE

La **chronologie** indique la succession des événements dans le temps, qui ont lieu à un certain moment, dans un certain lieu.

Dans un récit, le narrateur peut rapporter les faits les uns à **la suite** des autres, en suivant l'ordre chronologique. Son récit est alors **linéaire**.

Il peut également choisir un événement comme **point de repère** (ici, les photos du « temps de L. », p. 48, l. 30) et situer les faits par rapport à celui-ci. Il organise alors son récit à partir de cet événement, en faisant des **retours en arrière** (« Y., où ils sont nés, dont ils sont partis quatorze ans auparavant », p. 55, l. 190-191) ou bien des **projections en avant** (« la voix de ma mère [...] qui se taira quarante ans plus tard », p. 49, l. 68-69). Il peut ainsi insister sur l'**antériorité** (fait qui a lieu avant le point de repère), la **postériorité** (fait qui a lieu après) ou la **simultanéité** (fait qui a lieu en même temps).

Le narrateur exploite la chronologie de diverses façons, selon ce qu'il veut mettre en lumière ou au contraire effacer :

– il peut choisir de ne pas raconter certains faits, c'est l'**ellipse narrative** : Tahar Ben Jelloun ne raconte pas ce qui s'est passé entre les l. 219 et 220 (p. 17) ;

– il peut développer longuement ce qui ne prend que très peu de temps dans l'histoire, c'est le **ralenti** : c'est ce que propose Andrée Chedid dans *La Vérité* ;

– il peut aussi résumer certains événements, et le récit semble s'accélérer, c'est le **sommaire**. Marie Desplechin résume ainsi en une phrase toutes les phases de la séparation d'Amalia et Jean-Gabriel (p. 36, l. 208-209) ;

– il peut également faire un arrêt et interrompre son récit pour développer une description, un portrait ou un commentaire, c'est la **pause narrative**, comme le fait Andrée Chedid (p. 24, l. 92-98) ;

– enfin, il peut mettre en valeur un moment fort, en faisant coïncider la durée de la narration et la durée effective du fait raconté : c'est la **scène**, durant laquelle les événements sont narrés en détail, presque en temps réel : procédé choisi par Marie Desplechin (p. 33-35, l. 104-180).

Lire

Les nouvelles, p. 9-55

1 Quels sont les différents enfants qui apparaissent dans les quatre nouvelles ? Quel est leur âge approximatif ?

2 À propos de quels événements les enfants des trois premières nouvelles sont-ils amenés à discuter avec les adultes ?

3 Dans quelle nouvelles les enfants donnent-ils (volontairement ou involontairement) des leçons aux adultes ?

Groupements de textes, p. 70-74

4 *Poil de Carotte*, p. 70 : quels personnages sont en présence dans l'extrait ? Qui est au centre de leur conversation ?

5 *Cendrillon*, p. 73 : comment l'auteur a-t-il mis en évidence la gêne en même temps que la détermination de la très jeune fille ? Quels sentiments sont ainsi révélés ?

6 *Onze débardeurs*, p. 72 : à votre avis, pourquoi l'Élève reste-t-il silencieux et ne répond-il pas au Proviseur ?

Écrire

Les nouvelles, p. 9-55

7 Imaginez que Bruno (*À propos de la vérité*, p. 29-43) et Liza (*La Vérité*, p. 21-25) sont amis depuis toujours et qu'ils entretiennent une correspondance. Rédigez les lettres qu'ils se sont envoyées dans lesquelles ils racontent et commentent leur expérience de « la vérité ».

8 Bruno arrive chez son père le vendredi soir et lui raconte la scène de la « bêtise ». Son père lui donne son avis sur la réaction qu'il a eue. Rédigez leur conversation.

Groupements de textes, p. 70-74

9 *Cendrillon*, p. 73 : pensez-vous comme la très jeune fille que le fait de « se raconter des histoires dans sa tête » peut empêcher de grandir ou de s'épanouir ?

Chercher

Les nouvelles, p. 9-55

10 Faites une recherche sur des publicités mettant en scène des enfants. Quelles particularités de l'enfance les publicitaires exploitent-ils ? Pour vendre ou faire connaître quels produits ou quels services ?

11 Quels livres, quelles musiques ou quels films de votre enfance vous ont terriblement marqué ? Pourquoi ? En quoi vous ont-ils fait évoluer ou transformé ?

12 Connaissez-vous des romans ou des films célèbres dont les héros sont des enfants ?

À SAVOIR

LA MODALISATION

Le narrateur peut conduire son récit en faisant alterner les passages de narration avec des passages d'analyse ou de commentaires (comme dans *La Vérité*, p. 22-25 ou *Première enfance*, p. 46-55). Il peut aussi exprimer son opinion ou ses sentiments en intervenant très ponctuellement dans le récit (comme dans *À propos de la vérité*, p. 29-43). Il prend alors position et son énoncé devient **subjectif.**

Le terme « **modalisation** » désigne cette prise de position. On la repère et on la définit grâce à certains indices dans le texte que l'on nomme « **modalisateurs** » :

– **verbes ou locutions verbales** (« Amalia espérait », p. 29, l. 10) ;
– **termes qui marquent le point de vue** (« d'après vous », p. 9, l. 18-19 ; « Je veux dire », p. 9, l. 19 ; « À ton avis ? », p. 41, l. 315) ;
– **adverbes** (« peut-être », p. 51, l. 101 ; « presque », p. 31, l. 54) ;
– **interjections** et **adverbes d'affirmation et de négation** (« Ouaahhh ! », p. 13, l. 122 ; « Si, si » p. 14, l. 141 ; « Ce n'est pas possible », p. 14, l. 149) ;
– **vocabulaire péjoratif ou mélioratif** (« laid et intolérable », p. 10, l. 38 ; « son baratin », p. 35, l. 164 ; « une bonne bouille », p. 47, l. 20) ;
– **comparatifs** et **superlatifs** (« la pire chose au monde », p. 9, l. 19) ;
– **auxiliaires modaux** (« tu dois avoir une hallucination », p. 14, l. 149 ; « il faut que je te parle », p. 21, l. 4 ; « on peut s'en protéger », p. 10, l. 40) ;
– **certains modes** et **temps verbaux** (« elle n'aurait pas supporté de vivre loin de la ville », p. 36, l. 194-195) ;
– **types de phrases** (exclamative et interrogative : (« Quoi ? je suis fou ?! », p. 16, l. 197 ; « Ai-je le droit... ? », p. 22, l. 32) et **ponctuation** comme les tirets, points de suspension et d'exclamation (« La vérité !!! », p. 24, l. 79) ;
– **mise en relief** et **forme de phrase emphatique** (« Maman, est-ce qu'il existe, le Père Noël ? », p. 21, l. 26) ;
– **figures de style** : comparaison (« Entêté comme une mule ! », p. 16, l. 178), métaphore (« tu es un crapaud ! », p. 16, l. 179).

PAROLES DE L'ENFANCE

De nombreux artistes ont offert aux enfants le moyen de dire ce qu'ils pensent des adultes et de révéler ainsi leurs problèmes ou leurs égarements. Sous leur plume, les paroles de l'enfance sont justes et prennent de la force ; elles vont droit au but et proposent parfois des réponses inattendues aux questions difficiles que chacun est amené à se poser sur la vie, la mort, l'amour, la justice ou la maladie. En voici quelques exemples.

Jules Renard (1864-1910)

Poil de Carotte, « C&C » n° 6, Magnard.

Jules Renard, écrivain français, a puisé dans ses souvenirs et impressions d'enfance pour écrire son célèbre *Poil de Carotte* (1894), récit qu'il a ensuite adapté pour le théâtre en 1900. Dans la pièce, le père et le fils se trouvent face à face. Et enfin ils se parlent. Parole douloureuse à émettre et à entendre, aussi bien pour le père, pour le fils que pour le public devenu le témoin privilégié d'une magnifique confidence :

Poil de Carotte. ***Il s'assied près de M. Lepic*** **: En somme, papa, tu es malheureux ?**

M. Lepic : Dame !

Poil de Carotte : Presque aussi malheureux que moi ?

M. Lepic : Si ça peut te consoler.

Poil de Carotte : Ça me console jusqu'à un certain point. Ça m'indigne surtout. Moi, passe ! je ne suis que son enfant, mais toi, le père,

toi, le maître, c'est insensé, ça me révolte. (*Il se lève et montre le poing à la fenêtre.*) Ah ! mauvaise, mauvaise, tu mériterais…

M. LEPIC : Poil de Carotte !

POIL DE CAROTTE : Oh ! elle est sortie.

M. LEPIC : Ce geste !

POIL DE CAROTTE : Je suis exaspéré, à cause de toi… Quelle femme !

M. LEPIC : C'est ta mère.

POIL DE CAROTTE : Oh ! je ne dis pas ça parce que c'est ma mère. Oui, sans doute. Et après ? Ou elle m'aime ou elle ne m'aime pas. Et, puisqu'elle ne m'aime pas, qu'est-ce que ça me fait qu'elle soit ma mère ? Qu'importe qu'elle ait le titre, si elle n'a pas les sentiments ? Une mère, c'est une bonne maman, un père, c'est un bon papa. Sinon, ce n'est rien.

M. LEPIC, *piqué, se lève* : Tu as raison.

POIL DE CAROTTE : Ainsi, toi, par exemple, je ne t'aime pas parce que tu es mon père. Nous savons que ce n'est pas sorcier d'être le père de quelqu'un. Je t'aime parce que…

M. LEPIC : Pourquoi ? Tu ne trouves pas.

POIL DE CAROTTE :… parce que… nous causons là, ce soir, tous deux, intimement ; parce que tu m'écoutes et que tu veux bien me répondre au lieu de m'accabler de ta puissance paternelle.

M. LEPIC : Pour ce qu'elle me rapporte !

POIL DE CAROTTE : Et la famille, papa ? Quelle blague !… Quelle drôle d'invention !

M. LEPIC : Elle n'est pas de moi.

POIL DE CAROTTE : Sais-tu comment je la définis, la famille ? Une réunion forcée… sous le même toit… de quelques personnes qui ne peuvent pas se sentir.

Edward Bond (né en 1934)

Onze débardeurs (1997), traduit par Stuart Seide et Catherine Cullen, L'Arche Éditeur, 2002.

Edward Bond, dramaturge britannique, a écrit plusieurs pièces pour les adolescents. Son écriture très imagée et souvent violente fait jaillir des questions existentielles à partir des situations complexes, parfois extrêmes, vécues par les personnages.

Le Proviseur interroge l'Élève.

LE PROVISEUR. Pourquoi ? Tu sais pourquoi ? Ça t'a rapporté quoi ? Réponds-moi. Tu nies que c'est ton travail ? Alors ? Je ne t'ai pas vu le faire. Personne ne t'a vu. Je t'accuse parce que je sais qu'aucun de mes autres élèves ne l'aurait fait. Ça porte ta marque partout. Et tu l'as fait seul. Tu ne pouvais pas impliquer quelqu'un d'autre. Les autres ne seraient pas si bêtes. Tu ne vas pas parler ? Je considérerai ton silence comme un aveu de culpabilité. Alors ? Merci de ne pas me faire perdre mon temps avec des démentis puérils. [...] Pourquoi tu l'as fait ? J'aimerais une explication – ou au moins une excuse. Prends ton temps. Je peux attendre.

Le Proviseur sort un livre dont les pages ont été tailladées.

LE PROVISEUR. La destruction pour l'amour de la destruction. Prends-le. Tu as honte de le tenir dans tes mains ?

Le Proviseur essaie de donner le livre à l'Élève. L'Élève le refuse. Le Proviseur enfonce un coin du livre dans la poche de l'Élève et recule. Le livre tombe par terre.

LE PROVISEUR. Tu veux être renvoyé ? Ne regarde pas par la fenêtre quand je te parle. Ne regarde pas par terre. Je suppose que tu penses que ce silence fait de toi un dur ? Tu n'es pas obligé de te conformer parce que tu es spécial ? Trop bon pour nous ! Tu ne l'es pas.

Joël Pommerat (né en 1963)

Cendrillon, Actes Sud/Théâtre de Sartrouville et des Yvelines-cdn, 2012.

Joël Pommerat est un auteur dramatique et metteur en scène français. Il a adapté *Pinocchio*, *Le Petit Chaperon rouge* et *Cendrillon*. Dans cette dernière pièce, il s'intéresse à la mort, au deuil et au devoir de mémoire que s'imposent les vivants. Sandra, la très jeune fille, rencontre le très jeune prince dont elle sait qu'il est lui aussi orphelin. Mais lui l'ignore.

La très jeune fille

Je crois que des fois dans la vie, on se raconte des histoires dans sa tête, on sait très bien que ce sont des histoires, mais on se les raconte quand même.

Le très jeune prince

Ah bon ? Je crois pas que je me raconte des histoires.

La très jeune fille

Ben si puisque tu te racontes que ta mère qui a jamais pu t'appeler depuis dix ans va t'appeler ce soir.

Le très jeune prince

Pourquoi ce serait pas vrai ? Ma mère me fait dire qu'elle va me téléphoner alors j'ai pas de raison de croire qu'elle va pas le faire, si on me dit que me mère va téléphoner, c'est qu'elle va téléphoner.

La très jeune fille

Pardon, mais non.

Le très jeune prince

C'est pas très sympa de me dire ça dis donc.

La très jeune fille (*fort*)

Ça a rien à voir avec le fait d'être sympa ou pas ce que je dis… Ce que je dis c'est que ce soir, ta mère pour la ving-cinq millième fois, elle va pas

te téléphoner… Et que même si elle le voulait très très fort te téléphoner, elle pourrait pas te téléphoner… Parce que là où elle est ta mère, elle a pas la possibilité de le faire… Là où elle est, y a pas de fil pour se connecter avec les gens comme nous ici, elle peut pas…

LE TRÈS JEUNE PRINCE

Qu'est-ce que tu veux dire ?

LA TRÈS JEUNE FILLE

Ce que je veux dire… c'est que je crois savoir que ce soir ta maman elle va pas t'appeler… et demain non plus… et dans une semaine non plus. *(Un petit temps.)*

Parce que ta maman, parce que ta mère, son cœur il bat plus… depuis dix ans… depuis dix ans elle est morte ta mère… En fait, ta mère est morte… Voilà…

J'aurais préféré qu'on parle d'autre chose pour une première fois qu'on se parle vraiment mais c'est la conversation qui est partie toute seule…

LE TRÈS JEUNE PRINCE

Hé ben dis donc, c'est pas très aimable de me dire une chose pareille !

LA TRÈS JEUNE FILLE

Non ! Mais ça n'a rien à voir avec l'amabilité.

LE TRÈS JEUNE PRINCE

Tu aimerais ça moi que je te dise que ta mère est morte ?

LA TRÈS JEUNE FILLE

Ben tu pourrais… Tu pourrais me le dire… Parce que c'est la vérité, ma mère est morte et tu sais moi aussi faut que j'arrête je crois de me raconter des histoires, me raconter qu'elle va peut-être revenir un jour ma mère, si je pense à elle continuellement par exemple non ! Elle est morte et c'est comme ça ! Elle va pas revenir ma mère ! Et elle est morte ! Comme la tienne ! Et rien ne pourra y changer ? Non rien.

LE TRÈS JEUNE PRINCE

C'est triste ce que tu racontes.

LA TRÈS JEUNE FILLE

Oui c'est triste ! Mais c'est comme ça.

SOUVENIRS D'ENFANCE

Dans *Première enfance*, Annie Ernaux fait apparaître les images « grisées » de son enfance, celles qui ont laissé des traces parfois très légères dans sa mémoire et dont elle retient surtout l'émotion qu'elles ont provoquée en leur temps. Portés par les sons, les odeurs, les visions, les impressions tactiles, les souvenirs d'enfance occupent une grande place dans l'imaginaire de nombreux écrivains. Certains sont fugaces, d'autres très tenaces et parfois douloureux.

Georges Simenon (1903-1989)

Je me souviens (1940-1945), in *Mémoires*, coll. Omnibus, éd. Presses de la Cité, 1993, © Georges Simenon Ltd.

Georges Simenon, écrivain belge, est surtout connu pour ses romans policiers et son célèbre inspecteur Maigret. Il a aussi publié plusieurs récits autobiographiques dans lesquels il évoque les moments forts de son enfance.

La cour est livide. Tout est livide. Les façades de briques sont plus sombres, les pierres de taille d'un blanc cru, méchant, avec des bavures.

Il est presque l'heure d'allumer. Derrière la cloison vitrée qui sépare les classes, les grands de troisième et de quatrième année primaire récitent ensemble une leçon, et cela fait un bruit rythmé de chanson. Qui a vu les premiers flocons ?

Toutes les têtes, bientôt, sont tournées vers la cour. Il faut regarder fixement pour distinguer les minuscules parcelles de neige qui tombent lentement du ciel.

Et cela suffit pour nous donner la fièvre. La nuit tombe et les flocons deviennent plus pressés et plus denses. Le gaz est allumé, on aperçoit des mères qui entourent le poêle dans la salle d'attente, à gauche du porche.

Quatre heures moins cinq. Tous les élèves, debout, récitent la prière et on entend les voix des plus grands dans les autres classes. On piétine. Les rangs se forment. La porte s'ouvre.

Elle tient ! La neige tient, tout au moins entre les pavés !

Les uns ont des cabans de grosse laine noire, d'autres des pardessus en ratine[1] bleue à boutons dorés. Mais ce sont autant de gnomes surexcités qu'un instituteur maintient en rang jusqu'au coin de la rue. Puis c'est un envol bruyant, une nuée dans ce fin brouillard de neige qui brouille les contours et où les becs de gaz sont comme des feux lointains dans l'océan.

Le quartier, la place du Congrès elle-même est trop vaste pour nous. Un tout petit morceau nous suffit, le plus proche de la rue Pasteur, en face de l'épicerie, dont la vitrine est à peine éclairée.

Le long du trottoir, l'eau du ruisseau est enfin gelée et les plus grands se sont élancés, le cartable au dos.

On se bouscule. Quelques-uns tombent et se ramassent. Les visages font des taches à peine plus claires sous les capuchons, et les yeux brillent, la fièvre monte, des plaques irrégulières de neige se forment sur le terre-plein de la place, et de la neige encore commence à ourler les branches noires des ormes.

Azouz Begag (né en 1957)

Le Gône du Chaâba, coll. Points Virgule, éd. du Seuil, 2001.

Le premier roman d'Azouz Begag, *Le Gône du Chaâba*, largement autobiographique, est paru en 1986. Il y raconte la vie d'Azouz et des enfants d'immigrés dans un bidonville à côté de

1. Tissu de laine épais.